**La petite princesse en album
aux Éditions Gallimard Jeunesse**

Je veux grandir !
Je veux manger !
Je veux une petite sœur !
Je ne veux pas aller à l'hôpital !
Je veux ma tétine !
Lave-toi les mains !
Je veux ma dent !
Je ne veux pas aller au lit !
Je veux ma maman !
Je veux un ami !
Je ne veux pas changer de maison !
Je veux de la lumière !

Livre à rabats

Je veux mon cadeau !

**En album tout carton
pour les petits**

Je veux grandir !
Je veux manger !
Je veux une petite sœur !
Je veux ma tétine !

En Folio Benjamin

Je veux mon p'tipot !
Je veux grandir !
Je veux manger !
Je veux une petite sœur !
Je ne veux pas aller à l'hôpital !
Lave-toi les mains !
Je veux ma dent !

Traduit de l'anglais par Étienne de Bouchony

Mise en pages : Karine Benoit

ISBN : 978-2-07-061960-3
Titre original : *I Don't Want To Go To Bed!*
Publié par Andersen Press Ltd., Londres
© Tony Ross 2003, pour le texte et les illustrations
© Éditions Gallimard Jeunesse 2003, pour l'édition française
Numéro d'édition : 158092
Loi n° 49-956 du 16 juillet 1949
sur les publications destinées à la jeunesse
1er dépôt légal : septembre 2003
Dépôt légal : février 2008
Imprimé en Italie par Grafiche AZ

Je ne veux pas aller au lit !

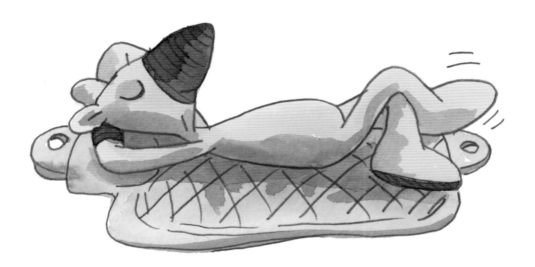

Tony Ross

GALLIMARD JEUNESSE

– Pourquoi faut-il que j'aille au lit alors que je ne suis
pas fatiguée, et que je me lève quand je le suis ?
disait la petite princesse.

– Je ne VEUX pas aller au lit !

– C'est bon pour toi, dit le docteur en la portant
dans sa chambre. Et c'est encore mieux de dormir.

Mais la petite princesse redescendit immédiatement.
– JE NE VEUX PAS ALLER AU LIT !

– JE VEUX UN VERRE D'EAU !

– Tiens, voilà, dit la reine.
Et maintenant, dodo.

– PAPAAAAAAAA !

– Tu ne veux pas un deuxième verre d'eau ? demanda le roi.
– Non, répondit la petite princesse, c'est Nounours
qui en veut un.

– Bonne nuit, dit le roi. Dodo, maintenant, Nounours.
– Ne pars pas ! dit la petite princesse.
Il y a un monstre dans la penderie.

– Les monstres n'existent pas,
et il n'y en a pas dans la penderie,
dit le roi en fermant la porte de la chambre.

– Papa ! cria la petite princesse.
– Qu'y a-t-il encore ? demanda le roi. Ne me dis pas
que tu as encore peur des monstres !

– Bien sûr que non, répondit la petite princesse.
C'est Nounours. Il dit qu'il y en a un sous le lit.

– Non, il n'y en a pas, dit le roi en quittant la chambre
sur la pointe des pieds. Les monstres n'existent pas.

– Arrêtez-la ! hurla la reine. Elle s'est échappée.
– JE NE VEUX PAS ALLER AU LIT ! dit la petite princesse.
– Pourquoi ? demanda la reine.

– Il y a une araignée au-dessus de mon lit…
… avec des pattes poilues.

– Les jambes de papa sont poilues aussi,
et il n'est pas méchant, dit la reine.

Finalement, la petite princesse se mit au lit.

Plus tard, quand le roi entra pour lui dire bonsoir,
son lit était vide.

Tout le monde se mit à sa recherche…

… inspectant tout de fond en comble, jusqu'à ce que…

– La voilà ! s'écria la gouvernante. Elle protège Nounours
et le chat des araignées et des monstres.

Le lendemain matin, la petite princesse se leva
en bâillant à se décrocher la mâchoire.
– Je suis fatiguée, dit-elle…

Je veux aller au lit.